DÉCOUVREZ LA FORCE DE SURMONTER LA DÉFAITE

Cet ouvrage a été publié sous le titre original:

DISCOVER THE POWER FOR

OVERCOMING DEFEAT

Original English Language Edition published by:
Harvest House Publishers, Irvine, California 92714

Dépôts légaux 1er trimestre 1981
Bibliothèque nationale du Québec
Bibliothèque nationale du Canada

Conception graphique de la couverture:
PHILIPPE BOUVRY

Traduit de l'anglais par:
GILLES NORMANDEAU

ISBN: 2-920000-51-9

Robert H. Schuller

Découvrez la force de surmonter la défaite

Les Éditions «Un Monde Différent» Ltée
1875 Panama, Local B
Brossard, Québec, Canada
J4W 2S8

Table des matières

I

Ne plus jamais être déprimé

Si je voulais décrire l'état actuel du peuple américain, je dirais qu'il souffre d'un vague état dépressif. Je voudrais me faire aujourd'hui le porte-parole de Dieu et vous annoncer que cette situation n'est pas désespérée. Réjouissez-vous car tout peut changer!

On peut guérir de la dépression. Bien sûr, pour cela il faut apprendre des vérités fondamentales que le monde ne connaît même pas. Nous devons reconnaître par exemple, que le coeur humain souffre d'un mal qu'on appelle le péché.

Dans mes nombreux voyages à travers le pays, j'ai décelé un état de profonde tristesse dans l'âme du peuple américain. La dépression est devenue chez nous un vrai fléau et personne ne sait comment l'enrayer. Nous avons bâti notre civilisation sur la conviction qu'il est possible de chasser la tristesse du coeur humain au moyen de l'instruction. Si ce moyen s'avère inefficace, on essaie alors de légiférer sur la façon d'assurer la réussite et le bonheur. C'est ainsi qu'avec le temps, on en est venu à croire que les éducateurs, les hommes de loi et les administrateurs pouvaient nous donner tout ce qu'il fallait pour vivre pleinement notre vie.

Personne ne peut faire l'expérience d'une vie heureuse et remplie en se fiant à l'un ou à l'autre de ces groupes de gens, pas plus qu'aux médecins d'ailleurs. Il y a des gens assez naïfs pour croire qu'une boîte ou une bouteille de pilules peut chasser leur tristesse et leur redonner la joie. Pourtant, l'histoire encore récente nous a amplement démontré qu'aucun système d'éducation, aucune loi, aucune méthode administrative, aucun médicament au monde ne contient les éléments de la vraie joie. Saint Augustin avait raison de dire: «Notre âme est avide, Seigneur, jusqu'à ce qu'elle te trouve.» L'être humain séparé de Dieu peut être comparé à un arbre abattu; comme lui, il est coupé de ses racines. Tandis que celui qui est branché sur Dieu est constamment nourri de l'esprit de Dieu, de sève divine.

L'esprit de Dieu est espérance!
L'esprit de Dieu est amour!
L'esprit de Dieu est joie!
L'esprit de Dieu est foi!
L'esprit de Dieu est optimisme!
L'esprit de Dieu est confiance!
L'esprit de Dieu est courage!

Si vous n'êtes pas animé par cet esprit-là, c'est signe que la sève divine ne circule pas bien, qu'il y a un *péché* quelque part en vous. Dans ce cas-là, ni l'école, ni la politique, ni l'administration ne peuvent vous aider.

Encore moins la médecine ou bien la marijuana. Non! L'âme a besoin d'un remède spirituel. Commencez donc par adopter une pensée positive, créatrice, et voyez les changements dans votre âme.

Ma première maison en Californie était bâtie sur un terrain de vingt-sept mètres de large. En l'achetant, j'ai remarqué qu'entre la rue et le trottoir, il y avait une bande de terre d'environ trois mètres sur vingt-sept. «Qu'est-ce que je pourrais bien planter là», pensais-je. «Si j'y fais pousser du gazon ou des fleurs, les gens vont marcher dessus en descendant de leur auto. Il me vint alors l'idée d'enlever un peu de terre et de remplir le trou avec du sable et des briques. Tout ce que j'avais à faire, c'était d'enlever environ vingt centimètres d'épaisseur sur toute la longueur de cette bande de terre.

Alors, un bon lundi matin, rempli d'enthousiasme, j'amenai une pelle et une brouette devant la maison et je commençai à creuser. J'avais fait un trou d'environ trente centimètres carrés sur vingt centimètres de profondeur seulement et ma brouette était déjà à moitié pleine.

En sortant de chez lui pour se rendre à son travail, un de mes voisins, tout surpris de me voir là avec mes outils de travail, me demanda ce que j'étais en train de faire. Je lui répondis que je voulais enlever une couche de terre pour y mettre du sable, du gravier et des briques à la place. «Où allez-vous mettre la terre me demanda-t-il ensuite. Je lui répondis que j'allais l'entasser dans la cour. «Ça va vous faire un gros tas de terre. Puis, ça va vous prendre des semaines pour creuser tout ça!»

Nullement découragé, je lui répondis: «Ah! ne vous en faites pas! Avec la pensée créatrice, vous allez voir que ça ne prendra pas de temps!» Là-dessus, mon voisin se rendit à son travail.

Je finis de remplir ma brouette et j'allai déverser son contenu derrière la maison. J'avais déjà un bon tas de terre sur les bras et

j'avais enlevé seulement un demi mètre carré de terre.

Il était seulement neuf heures du matin et je ruisselais de sueur. Avec respect, je m'exclamai: «Mon Dieu, il doit y avoir une meilleure façon de faire ce travail-là!» Cinq minutes plus tard, Roy, un membre de ma congrégation, descendit ma rue avec son camion à bascule chargé d'un petit tracteur équipé d'une benne chargeuse. Après avoir arrêté son camion, mon ami me demanda: «Qu'est-ce que vous faites là, pasteur?» Je lui expliquai ce que je faisais puis je lui demandai à mon tour: «Et toi, qu'est-ce que tu fais ici?» Il me répondit: «Je suis égaré». «Ah non! tu n'es pas égaré. C'est Dieu qui t'envoies ici.» Il regardait ma bande de terre pensivement quand soudain, il me dit: «Vous savez, je pourrais faire ce travail-là en une demi-heure, sans compter que j'ai besoin de terre.» Il baissa la porte de son camion, descendit son tracteur et enleva la terre. À 11h30, le travail était terminé et Roy était parti.

Mon voisin est venu déjeuner chez lui à midi et il m'a vu balayer la poussière. C'est probablement là qu'il a été gagné à la cause de la pensée créatrice...

Écoutez-moi bien: si vous avez un problème, je veux que vous sachiez que Dieu en possède la solution. Actuellement, notre pays baigne dans une ambiance de grande tristesse. Nous n'avons pas encore pris conscience que nous sommes perdus, c'est-à-dire que nous sommes coupés de notre source d'inspiration et de puissance spirituelle, et que nous en payons le haut prix.

Qu'est-ce qui peut bien nous plonger dans un tel état? Nous savons que c'est le péché qui coupe le flot divin de la puissance créatrice et salvatrice en nous, créant par le fait même la mort dans notre âme. *Quand la mort s'installe dans l'âme, l'homme se sent battu, dégonflé et déprimé.*

Rien ne peut mieux illustrer cet état que l'histoire de l'enfant prodigue racontée par Jésus lui-même.

L'enfant prodigue était un jeune homme, pas différent de la plupart des jeunes d'aujourd'hui; il était bien de son temps.

Vous, les jeunes garçons et les jeunes filles qui lisez ceci; vous, les célibataires dans le vent, je vous conseille d'avoir une philosophie de la vie et une échelle des valeurs qui vous construisent au lieu de vous détruire.

L'enfant prodigue a parcouru bien des chemins mais il s'est aussi retrouvé devant rien. Étant entré très jeune en possession de son héritage, il partit aussitôt à la chasse aux filles et tout le reste. En moins de temps qu'il ne le faut pour le dire, il avait tout dépensé et il se trouva très déprimé.

La dépression, au dire des psychologues, a deux causes principales. Moi, je les résume en disant qu'elle est causée par un état de dégonflage et un sentiment de défaite. L'enfant prodigue était dégonflé. Il a séjourné, entre autres, dans une porcherie alors qu'il était complètement démuni. Je pense qu'à ce moment-là la phrase la plus tragique qu'il ait prononcée est la même que bien des gens prononcent même s'ils ne sont pas rendus aussi bas. Cette phrase, c'est: «Je suis indigne d'être appelé le fils de mon père.» *Je suis indigne!*

Il y a quelques années, j'ai publié un livre intitulé *Self-Love, The Dynamic Force of Success* (L'amour de soi, la force dynamique du succès). Dans ce livre, j'ai exprimé ce qui, à mon avis, est enseigné par Jésus, c'est-à-dire que l'amour de soi est la plus haute qualité humaine. Si vous avez beaucoup de dignité, ainsi qu'une grande estime de vous-même et de votre propre valeur, vous irez très loin!

Être perdu, c'est aussi être dégonflé. «Je ne suis rien. Je ne vaux rien. Je ne compte pas.» Être perdu, c'est oublier qui on est réellement.

On assiste actuellement à une crise générale de l'amour de soi.

Tellement de gens ne savent pas qui ils sont. Tellement de gens ont peur de découvrir leur vraie nature. Auraient-ils peur de perdre leurs illusions?

Moi, je pense qu'ils ne s'aiment pas assez eux-mêmes. C'est pour ça qu'ils sont dégonflés et déprimés.

Inutile pour eux de traîner leur dépression dans la classe ou à l'Assemblée nationale car aucun professeur ni législateur ne peut rien contre leur mal. Que peuvent-ils faire alors pour se débarrasser de ce sentiment d'auto-dépréciation? Le seul et unique remède pour eux consiste à se faire accepter par quelqu'un qu'ils jugent comme étant une personne idéale. Ça c'est garanti de les remettre d'aplomb! Se rappeler qui l'on est: voilà l'unique secret. Si vous êtes dégonflé, si vous vous sentez inutile et moins que rien; si vous n'avez ni travail, ni personne pour vous aider à en trouver, ni puissance, ni richesse; si vous vous sentez tout seul au monde, souvenez-vous de ceci: *vous êtes un enfant de Dieu.* Vous êtes quelqu'un d'extraordinaire! N'oubliez jamais cela!

Celui qui est dégonflé et qui ne s'aime pas lui-même perd toute motivation. Cette perte de motivation, pourtant un mal assez grave en soi, entraîne en plus une diminution de l'amour de soi. Vous voyez le cercle vicieux? Pour briser ce cercle, il n'y a qu'un seul remède: la découverte de notre divin héritage.

La légende raconte que la belle Hélène de Troie, au nom de qui bien des guerres ont été déclenchées, se perdit au cours d'une bataille. Quand l'armée revint en Grèce, Hélène n'était sur aucun des bateaux. Ménélas courut de grands risques en essayant de la retrouver. Il l'aperçut un jour dans un village du bord de la mer. Elle avait été blessée et souffrait d'amnésie. Parce qu'elle avait oublié qui elle était réellement, elle s'était abaissée au niveau de la fille de rue et elle gagnait sa vie comme prostituée.

Quand Ménélas l'aperçut, elle était en haillons et couverte de poussière. Malgré la honte et le déshonneur dans lesquels elle s'était plongée, il la regarda et l'appela par son nom: «Hélène!» Elle tourna la tête. «Tu es Hélène de Troie», lui dit-il. En entendant ces mots, elle redressa l'échine et retrouva sa dignité royale. Elle était sauvée!

Vous avez peut-être honte de vous-même vous aussi, si vous ne savez pas qui vous êtes. Je vous annonce que *vous êtes membre de la famille royale!* Dès que vous acceptez Jésus-Christ dans votre vie, vous devenez membre de la famille de Dieu. Vous n'êtes plus une âme égarée. Vous n'êtes plus dégonflé. Vos péchés sont dès lors pardonnés et vous retrouvez votre honneur!

Quand l'enfant prodigue revint à la maison, son père était tellement content de le revoir qu'il fit deux choses: d'abord il le revêtit d'une robe magnifique et ensuite il lui passa un anneau au doigt, symbolisant ainsi l'honneur que son fils avait retrouvé. Quand vous êtes dégonflé, c'est la dépression qui vous envahit. Dès que vous êtes rétabli dans votre honneur et votre dignité, vous êtes au comble de la joie!

Le deuxième signe d'une âme égarée est qu'elle est non seulement dégonflée mais aussi abattue.

Quand on ne s'aime pas soi-même, c'est ce qui se passe. Non seulement a-t-on le moral à plat, mais on n'a même pas le goût de l'action et de la réussite. Celui qui affirme qu'il ne peut rien faire pense en réalité qu'il est une personne sans importance.

Quand Jésus-Christ vous enlèvera vos sentiments de culpabilité et d'auto-condamnation, un grand changement se produira dans votre vie. Le Grand Libérateur vous libérera de votre tendance à vous rabaisser vous-même. Jésus-Christ deviendra le nouveau centre de votre vie. Vous sentirez la présence de Dieu en vous. Alors, vous pourrez dire avec saint Paul: *Je*

puis tout en Celui qui me rend fort (Ph, 4;13).

Vous comprenez maintenant pourquoi des gens jadis perdus ont pu remporter une victoire définitive sur des habitudes que la médecine à elle seule n'arrivait pas à briser. Je pense, par exemple, à l'héroïnomanie. Pour ce qui est du pouvoir de briser l'habitude de la drogue, Jésus-Christ est sans contredit celui qui a le meilleur taux de réussite. C'est un fait!

Êtes-vous déprimé? Ou êtes-vous accroché à une mauvaise habitude? Une habitude dont vous n'arrivez pas à vous défaire? Peut-être ne vous nourrissez-vous pas bien. Ou bien vous buvez trop. Ou fumez trop. Avez-vous perdu tout espoir de guérison? Est-ce que ça vous rend fou? Si oui, calmez-vous, car Dieu peut vous changer!

Sur le terrain de notre église, il y a des noyers. À l'automne, ces arbres perdent leurs feuilles. Durant l'hiver, des vents violents appelés par les gens du pays les Santa Ana arrachent toutes celles qui restent. L'autre jour, je marchais sur le terrain et j'aperçus ici et là quelques feuilles mortes qui étaient restées accrochées aux arbres, malgré les vents et les tempêtes.

Votre problème, comme ces feuilles, résistent peut-être lui aussi à tous vos efforts pour le

NE PLUS JAMAIS ÊTRE DÉPRIMÉ

résoudre. Ne désespérez pas. Bientôt, une nouvelle sève montera du plus profond de vous-même. Elle passera par votre tronc, par vos branches et formera des bourgeons qui forceront les feuilles mortes à se détacher de votre arbre. *Les feuilles mortes qui l'hiver restent accrochées aux arbres sont condamnées par le printemps qui vient les décrocher.*

Vous sentez-vous déprimé? Dégonflé? Abattu? Je vous annonce que vous pouvez revivre. Comment? D'abord, admettez que vous avez besoin d'aide. C'est le point le plus important. Vous n'y arriverez pas tout seul. Jésus a dit: *Je suis le cep, vous êtes les sarments. Qui demeure en moi, comme moi en lui,*

porte beaucoup de fruits; car hors de moi vous ne pouvez rien faire. (Jn 15;5)

Il faut que vous soyez greffé au Christ. Comme l'enfant prodigue, soyez assez humble pour reconnaître qu'il y a quelqu'un à la maison capable de vous aider.

Gilbert-Keith Chesterton disait: «Il y a deux façons d'être à la maison. La première, c'est d'y rester et de ne jamais la quitter. La seconde, c'est de continuer sa marche jusqu'à ce qu'on y arrive.»

Certains d'entre vous ont toujours vécu en la présence de Dieu sans jamais le quitter. Vous êtes nés dans une famille chrétienne et vous êtes de descendance divine. Vous êtes devenus chrétiens aussi naturellement que vous êtes sortis du sein de votre mère.

Jésus a dit: «À moins que vous ne redeveniez comme des petits enfants, vous n'entrerez pas dans le Royaume de Dieu.» Il voulait dire par là que la conversion est une chose tout à fait naturelle. Un homme naît dans un foyer chrétien, il fait connaissance avec Jésus-Christ par l'intermédiaire de ses parents et à un moment ou l'autre de sa vie, il naît de nouveau aussi naturellement que la première fois: il devient alors un véritable enfant de Dieu. Tout comme la graine croît et devient finalement une fleur, ainsi cet homme parvient-il

avec le temps à déployer sa vraie beauté intérieure de chrétien. C'est ainsi qu'il entre dans la maison du Père; en réalité, on peut dire qu'il ne l'a jamais quittée.

Mais il n'en est pas ainsi pour tous les hommes sur la terre, car tous ne vivent pas dans la maison du Père. Vous qui avez essayé tous les remèdes contre la dépression, avez-vous déjà songé à essayer Jésus-Christ? Certains n'ont pas eu la chance d'avoir des parents chrétiens; d'autres, dont les parents étaient chrétiens, ont dévié de la route, ils ont perdu le contact avec Dieu. Mais, en lisant ces lignes, ne sentez-vous pas que vous retournez vers *lui*, que vous retournez à la maison?

Si vous vous sentez dégonflé, revenez à la maison, car vous *êtes* quelqu'un d'extraordinaire puisque Dieu votre Père croit en vous et qu'*il* peut changer votre vie. Les cyniques prétendent qu'on ne peut pas changer la nature humaine. Je suis parfaitement d'accord avec eux, *mais Dieu, lui, peut la changer!*

Si vous vous sentez abattu, dites-vous bien que l'enfant prodigue a ressenti la même chose lui aussi. S'il y a un sentiment qui déprime plus quelqu'un que l'absence d'estime de soi, c'est bien celui de l'impuissance, ou l'incapacité de réagir, de réussir, la conscience d'être un échec.

Chesterton raconte l'histoire de deux hommes qui étaient mécontents de l'Angleterre. Aussi, décidèrent-ils de quitter le pays sur un bateau, en espérant ne plus jamais revoir la brume qu'ils laissaient derrière eux. Un jour, ils aperçurent une île et décidèrent d'y accoster. En posant le pied sur le sol, ils s'exclamèrent tous les deux: «Quelle île merveilleuse! Établissons-nous ici». Puis vint un étranger à qui ils demandèrent: «Monsieur, nous venons à peine d'arriver ici. Pouvez-vous nous dire où nous sommes?» Et l'étranger leur répondit: «Vous êtes sur la côte nord de l'Angleterre» Nos deux héros étaient revenus chez eux...

Pour être heureux, il n'y a qu'un seul espoir: Jésus! Essayez-le! Il viendra vous tirer de votre état de défaillance. Il vous délivrera! Il instaurera une nouvelle passion au coeur de votre être, une nouvelle force d'intégration, une nouvelle tige qui retiendra toutes les branches de votre arbre. Tout ce qu'*il* vous demande de faire, c'est de reconnaître que vous avez besoin d'aide et aussi d'accepter l'aide qu'*il* veut vous apporter.

Sortez des ténèbres et entrez dans la lumière, passez du désespoir à l'espoir absolu, quittez votre monde de tristesse et vivez enfin dans la joie. Revenez à la maison de votre Père!

II

Nouvel espoir pour les affligés

Si la coupe de votre coeur est vide et a besoin d'être remplie d'espoir, de courage, de joie et de force intérieure, Dieu vous comblera de tous ces dons. J'apporte aujourd'hui un nouvel espoir à ceux qui souffrent.

On sait que l'une des plus grandes questions qu'il faut résoudre dans la vie, c'est de pouvoir distinguer entre un besoin authentique et un caprice. Il y a quelques années, l'anthropologue Robert Ardray a écrit un livre intitulé *The Territorial Imperative* (L'impératif Territorial), dans lequel il affirme que l'homme a besoin de trois choses: l'identité, la stimulation et la sécurité. Il va même plus loin: «La guerre est la seule occasion où ces trois besoins peuvent être comblés sociologiquement. Dans une guerre nationaliste, l'individu sait qui il est. Qu'il soit Allemand, Russe ou Américain, sur le champ de bataille, il sait très bien qui il est. En même temps, il se sent stimulé car l'ennui n'existe pas en temps de guerre. Aussi, son sentiment de sécurité se développe parce que le but de la guerre, c'est de protéger les femmes et les enfants.»

J'ai de bonnes nouvelles pour vous, car je connais un meilleur moyen que la guerre pour combler ces trois besoins. Ce moyen, Jésus l'a appelé la *rédemption*.

Vous êtes-vous déjà fait accoster sur le trottoir par quelqu'un qui vous ait presque poussé dans la rue en vous disant: «Mon frère, es-tu sauvé?» Quel choc, n'est-ce pas? Je crois que le mot *sauvé*, et même le mot *perdu*, a perdu son sens à force d'être trop employé, même par des gens sincères. Quel dommage de voir de beaux mots employés à tort et à travers et perdre ainsi leur sens primitif pour la masse des gens.

Mais, si vous lisez le Nouveau Testament et la vie de Jésus, vous verrez que le mot *sauvé* revient très, très souvent. C'est pourquoi il est si important pour nous de connaître le vrai sens de ce mot.

Maintenant écoutez bien: l'image que Jésus voulait projeter de lui-même dans son milieu n'était pas celle d'un administrateur omnipotent, ni d'un PDG, ni même celle d'un allié des puissants hommes politiques. Aussi étrange que cela vous paraisse, Jésus voulait donner l'image d'un berger.

Ceux qui ne sont jamais allés en Terre Sainte auront de la difficulté à comprendre cela. Mais ceux qui ont déjà mis les pieds en Israël ont sûrement rencontré un berger, cet homme modeste qui faisait partie des humbles au temps de Jésus, comme encore aujourd'hui d'ailleurs. Imaginez un berger, seul là-haut sur les collines avec son troupeau de moutons, endurant les chaleurs torrides de l'été et le froid des nuits d'hiver. Imaginez un berger, seul avec ses moutons mais dévoué, généreux et tendre envers eux. Son visage est comme du cuir brut tellement il a été exposé au soleil, et ses yeux louchent légèrement à force de scruter au loin chaque colline, chaque ravin, chaque rocher et la brousse même pour s'assurer qu'aucune de ses brebis ne s'y trouve. Dès qu'il se rend compte de l'absence d'un membre du troupeau, le berger part à sa recherche et ne revient que lorsqu'il l'a trouvé. Il ramène

alors la bête à la bergerie en la portant autour de son cou. Un simple berger, voilà l'image que Jésus a voulu laisser de lui-même.

Après tout, cela ne devrait pas nous étonner quand on s'arrête pour réfléchir aux paroles du prophète: *Tel un berger qui fait paître son troupeau,... conduit au repos les brebis mères.* (Is 40;11) Ou encore quand on songe que dans la communauté juive, et Jésus a été élevé dans cette communauté, le psaume 23 était très bien connu: *Yahvé est mon pasteur, je ne manque de rien. Sur des prés d'herbe fraîche il me parque.*

Mais dans saint Jean, au chapitre 10, Jésus dit:

En vérité, en vérité je vous le dis, celui qui n'entre pas par la porte dans la bergerie, mais pénètre par une autre voie, celui-là est le voleur et le pillard.

...En vérité, en vérité je vous le dis, je suis la porte des brebis. Tous ceux qui sont venus sont des voleurs et des pillards: mais les brebis ne les ont point écoutés. Je suis la porte. Qui entrera par moi sera sauvé; il entrera et sortira et trouvera sa pâture. Le voleur ne vient que pour voler, égorger et détruire. Moi, je suis venu pour que les brebis aient la vie et l'aient en abondance.

Je suis le bon pasteur. Le bon pasteur donne sa vie pour ses brebis. ...Je suis le bon pasteur; je connais mes brebis et mes brebis me connaissent, comme le Père me connaît et comme je connais le Père, et je donne ma vie pour mes brebis.

J'ai d'autres brebis encore, qui ne sont pas de cet enclos; celles-là aussi, je dois les mener; elles écouteront ma voix, et il y aura un seul troupeau, un seul pasteur.

Si le Père m'aime, c'est que je donne ma vie, pour la reprendre. On ne me l'ôte pas; je la donne de moi-même. J'ai pouvoir de la donner et pouvoir de la reprendre; tel est l'ordre que j'ai reçu de mon Père. (Jn 10; 1-2, 7-12, 14-18)

Qu'est-ce que ça veut dire, être sauvé? Je prétends que ça veut dire trois choses: connaître son identité, avoir de la stimulation et de la sécurité.

L'identité

En devenant membre de la famille de Dieu et sachant que vous êtes l'ami de Jésus, vous sentirez que vous appartenez à un groupe de croyants heureux. C'est cela, l'identité. Maintenant vous savez qui vous êtes: vous êtes un chrétien! Quelle satisfaction de savoir qu'on est un disciple du Christ!

Cette identité amène naturellement avec elle une nouvelle façon de s'aimer soi-même. Trop de gens ne s'aiment pas eux-mêmes, ils se dévalorisent. *Vous ne pouvez pas marquer le prix sur quelque chose avant d'y avoir fixé une étiquette.* Retenez bien cela. Tant que l'étiquette n'y est pas, comment voulez-vous inscrire le prix?

Un diamant appartenant à la couronne d'un grand roi d'Europe resta exposé pendant des mois dans un étal installé sur la place publique à Rome. Ce diamant portait l'étiquette: *Cristal de roche, 1 franc.* Vous vous imaginez: un diamant vendu pour du cristal de roche, au prix de 1 franc.

Mon ami, tant que vous ne saurez pas qui vous êtes, tant que vous ne vous joindrez pas à la grande famille de Dieu, vous ne connaîtrez pas votre vraie valeur.

On dit des chrétiens, des enfants de Dieu, qu'ils sont sauvés parce qu'en fait ils savent qui ils sont. On dit des autres gens qu'ils sont perdus parce qu'ils ne savent pas d'où ils viennent ni où ils vont.

Je me souviens d'un événement difficile, survenu il y a quelques années à un peu plus d'un kilomètre de notre église. J'approchais d'un feu d'arrêt quand je vis, en plein milieu de l'intersection, une petite fille d'environ deux ans qui marchait d'un pas chancelant. J'appliquai les freins aussitôt en faisant crisser mes pneus jusqu'à la lumière et je descendis. D'autres voitures, venant de toutes directions, s'arrêtèrent elles aussi. Tous les conducteurs regardaient cette bambine, qui avait l'air d'un petit chien égaré, sans savoir quoi faire à son sujet. Finalement, l'un d'eux lui tendit la main gauche, dont elle saisit l'index. Les autres accompagnèrent le duo jusqu'au trottoir.

«Comment t'appelles-tu?», lui avons-nous demandé. «Mary», répondit-elle. «Mary qui?» «Heu», fut sa seule réponse. «Quel est ton autre nom, Mary?» «Heu». «Où habites-tu?» «Je ne sais pas.» «Est-ce par là-bas?» «Je ne sais pas». «Par là peut-être?» «Je ne sais pas.»

LA FORCE DE SURMONTER LA DÉFAITE

Nos questions ne nous avançaient à rien puisque Mary n'y répondait pas. Mais, heureusement, quelqu'un de nouveau arriva parmi nous. «Je pense avoir déjà vu cette petite fille-là quelque part, dit-il. Je me rappelle l'avoir vu jouer dans la rue par là-bas. Je vais la conduire jusque-là en espérant qu'elle reconnaîtra sa maison». L'homme emmena donc Mary avec lui.

Comme je connaissais cet homme-là, je lui demandai plus tard: «Qu'avez-vous fait de la petite Mary?» «Ah, me dit-il, j'ai marché avec elle environ deux pâtés de maison. Rendue là, elle a reconnu sa rue et sa maison.»

Être perdu, passe encore; mais ne pas connaître son adresse, c'est le pire qui puisse arriver à un être humain. Et pourtant, combien de gens sont perdus dans la vie et ne connaissent pas leur adresse. Ils ne savent ni d'où ils viennent ni où ils habitent. Ils ont complètement oublié qu'ils sont des enfants de Dieu.

Se rapprocher de Dieu équivaut pour l'être humain à reconnaître sa rue. Et se rapprocher du Christ, c'est reconnaître sa maison. Quelle joie, quel réconfort de savoir qu'on est enfin rendu à la maison. Comme le saumon qui, d'instinct, remonte le courant chaque printemps pour retrouver sa source, ou comme l'oiseau-mouche qui franchit les

eaux du golfe durant l'hiver pour revenir au chaud climat de la Californie, ainsi l'homme peut-il, s'il écoute sa voix intérieure, revenir à ses origines divines et ainsi être sauvé.

Retrouver son identité, savoir enfin qui l'on est réellement. Savoir que l'on est plus qu'un singe évolué, savoir que l'on est un descendant de Dieu, voilà le vrai retour à la maison.

Être sauvé signifie être adopté au sein de la famille de Dieu. Ou que vous soyez à l'heure actuelle, Dieu vous invite à devenir membre de *sa* famille et vous devez lui répondre par un acte de foi, par un abandon total à *son* amour.

Saviez-vous que vous aviez la constitution d'un croyant? Celui qui a la foi est toujours en santé. Par contre, les incrédules et les cyniques sont toujours malades. Cela peut même être prouvé scientifiquement. Les gens qui ont la foi sont joyeux, détendus et équilibrés émotivement et physiquement. Mais les esprits douteux et cyniques sont tendus, méfiants, querelleurs, disputailleurs, raisonneurs, froids et repliés sur eux-mêmes. Ils ne sont ni heureux ni en santé.

L'homme est bâti pour être à son mieux quand il est animé par la foi, cet air spirituel qu'il lui est tout naturel de respirer. Laissez-vous aller! Laissez-vous aimer par Dieu! Laissez-vous aller à croire! Ne

résistez plus! Dieu vous aime, qui que vous soyez et quoi que vous ayez fait!

J'ai déjà lu une histoire concernant un ministre établi dans une ville du Mid-West américain. Le fils de ce ministre se lia d'amitié avec un professionnel de cette même ville, lequel était non seulement un athée de notoriété publique mais un homme qui buvait et qui violait les dix commandements de Dieu. Le garçon devint si intime avec cet homme qu'il commença lui aussi à boire et à gaspiller sa vie et son argent. Après un certain temps, il cessa même de parler à son père et à sa mère. Au cours d'une nuit, son père s'éveilla et s'aperçut que son épouse n'était pas à ses côtés. Il se leva aussitôt et commença à la chercher partout dans la maison. C'est dans la chambre de son fils qu'il la trouva, agenouillée à côté de celui-ci. Il dormait, ivre mort, et sa mère lui couvrait la main de tendres baisers. Dès qu'elle aperçut son mari, elle leva la tête et lui avoua, les yeux remplis de larmes: «Il ne me laisse pas l'aimer quand il est éveillé.»

Vous avez retrouvé votre identité, car vous savez maintenant que vous êtes un enfant de Dieu!

La stimulation

Vous pouvez dès à présent profiter de l'effet stimulant de la société. L'homme est grégaire, c'est-à-dire qu'il est fait pour vivre en société. Nous avons besoin de solitude, mais nous ne pouvons pas vivre totalement isolés des autres. Nous avons besoin du contact avec d'autres esprits, d'autres personnalités.

Le pire aspect de la solitude, c'est l'ennui. Je connais des tas de gens qui vivent seuls, en célibataires. Certains ont perdu une épouse, d'autres un mari. Ces gens-là vivent seuls, mais ce n'est pas pour se consacrer totalement à un projet spécial, ni pour consacrer plus de temps à leur église, à leur paroisse ou à leur travail. Ces gens-là devraient savoir que les relations humaines sont une source importante de stimulation.

J'invite toutes ces personnes à se joindre à la famille de Dieu et à découvrir combien il est stimulant de se remettre à rêver et à produire de grandes choses. Tous ceux que j'ai vus être vraiment *sauvés* ont commencé immédiatement à travailler avec les autres et à faire des projets grandioses. C'est à partir de ce moment-là qu'ils ont commencé à devenir quelqu'un.

Qu'arrive-t-il lorsque vous devevez un chrétien? Quand vous devenez un chrétien, vous joignez les rangs du troupeau. Et là, vous entendez la voix du berger vous dire: «Vous pouvez aller plus haut que par le passé, car Dieu a de grands desseins sur vous.»

Ne vous sentez-vous pas stimulés? Alors, qu'attendez-vous pour devenir un chrétien?

La sécurité

Quand Jésus vient nous racheter, la troisième chose qu'il nous donne, c'est la sécurité! Et *il* le fait automatiquement.

Récemment, j'ai reçu la lettre de gens qui avaient vu un certain film qui montre le travail du diable. J'en profite pour dire que ce film a certainement produit des ravages psychologiques. À ces gens qui m'écrivent au sujet de ce film, je réponds en citant le passage suivant de la Bible:

Il nous a en effet arrachés à l'empire des ténèbres et nous a transférés dans le royaume de son Fils bien-aimé. (Col 1;13)

Le monde actuel compte toutes sortes de forces négatives, de penseurs négatifs, de puissances et de vibrations négatives, mais par la grâce du Christ et dès que nous faisons un acte de foi en *lui*, nous échappons à tout cela pour l'éternité.

Concentrez vos efforts sur le positif. Si vous acceptez le Christ comme rédempteur et que vous le laissiez entrer dans votre vie, vous n'aurez jamais à vous inquiéter au sujet du démon. Saint Paul exprime cela d'une très belle façon:

Avec joie, vous remercierez le Père qui vous a mis en mesure de partager le sort des saints dans la lumière. (Col 1;12) Oui, vous aurez la sécurité pour l'éternité!

Je me souviens du jour où mon père, à l'âge de quatre-vingt-deux ans, dut entrer à l'hôpital parce qu'il n'allait pas bien. Maman m'a dit qu'il avait fait sa valise tout seul avec ses vieilles mains toutes raides et qu'il l'avait apportée jusqu'à la porte de devant. Là, il s'arrêta pour se retourner et examiner tout le salon: le plafond, les murs, les tableaux et, enfin, le vieux fauteuil dans lequel il était toujours assis. Il esquissa un bref sourire puis il dit: «Je suis prêt, Jenny, allons-y! Je ne reviendrai pas ici, j'en suis sûr.» Mère raconte qu'il a dit cela sur le ton de celui qui monte sur la scène pour aller chercher son diplôme. On aurait dit quelqu'un qui rentrait à la maison! Père était fier de la vie qu'il avait vécue! Il entra à l'hôpital et il y mourut quelques jours plus tard.

Celui qui est sauvé entrevoit ses derniers jours *avec une grande confiance!* L'identité, la stimulation et la sécurité sont trois cadeaux qui vous appartiennent! Vous n'avez plus qu'à les prendre et à dire: «Merci Seigneur!»

Que la JOIE soit avec vous, à jamais!